Ce livre appartient à

Je lis avec Mickey

VOLUME
8

Tigrou et le Pommier

PUBLICOR

ISBN 2-921200-18-X (collection)
ISBN 2-921200-26-0 (volume 8)
Imprimé aux États-Unis.
Collection Jeunesse de Walt Disney

Par un clair matin d'automne, Winnie l'ourson prend du soleil sur le seuil de sa porte en sifflotant. Il aperçoit tout à coup Coco Lapin trotter sur le chemin, avec un panier dans les bras. Coco Lapin a l'air bien inquiet et bien pressé.

Winnie l'arrête. «Bonjour Coco Lapin! lui dit-il.
Tu as l'air bien pressé. Où t'en vas-tu comme ça?
Qu'est-ce qu'il y a dans ce panier?»

«Bonjour Winnie! répond Coco Lapin. C'est mon panier à pommes. Les pommes de l'arbre au bas du chemin sont mûres. Je vais les cueillir pour faire ma compote de pommes au miel spéciale et en donner à mes petits cousins qui viennent me visiter.»

Winnie pense à la compote qu'il aime beaucoup,
surtout quand on la prépare avec du miel.
   «Laisse-moi t'aider», dit-il en se pressant avec Coco
Lapin.

Arrivés au pommier, Winnie et Coco Lapin se mettent à cueillir les pommes. Comme les pommes des branches inférieures sont faciles à attraper, nos deux amis réussissent à les cueillir. Mais bientôt l'ourson commence à s'inquiéter.

«Combien de pommes nous faut-il?» demande-t-il à Coco Lapin.

«Un plein panier, répond Coco Lapin. La recette de grand-mère commence ainsi : «Prendre un panier de pommes.»

Sur ces mots, Coco Lapin saute pour attraper la dernière pomme mûre sur la dernière branche du bas.

«Coco Lapin, dit tout à coup Winnie, on va bientôt avoir un problème. Le panier est encore presque vide.»

«Si l'on veut le remplir, il faut cueillir les pommes
des branches d'en haut, dit Winnie. L'un de nous doit
donc monter dans l'arbre.»

Juste à ce moment, Petit Gourou passe en sautant et entend Coco Lapin dire : «Monter dans l'arbre? Toi, Winnie? Oh! tu es très gentil!»

«Arriveras-tu vraiment à monter dans ce gros arbre, Winnie?» demande Petit Gourou.

Arrive alors Tigrou qui traverse le champ en bondissant. Il fredonne les belles chansons des tigres. En apercevant Winnie, Coco Lapin et Petit Gourou, Tigrou s'arrête de sauter et de chanter.

Winnie regarde le haut de l'arbre. «J'ai vraiment
dit que je grimperais là-dedans?» demande-t-il.
«Ah oui! crie Petit Gourou. Tu l'as dit!»
Petit Gourou se tourne vers Tigrou. «C'est vrai,
Tigrou. Winnie a dit qu'il allait grimper jusqu'en haut
et cueillir toutes les pommes!»

«Grimper dans ce petit arbre, s'exclame Tigrou, ce n'est rien du tout! Regardez bien comment un tigre s'y prend pour monter jusqu'en haut!»

«Veux-tu dire que tu vas grimper dans l'arbre, Tigrou?» demande Winnie, qui semble tout content de l'entendre.

«Mais non! Pas grimper, lui répond Tigrou. Je vais bondir jusque là-haut, comme le font les tigres.»

«Ne l'écoute pas, Winnie, dit Coco Lapin. Tu sais combien Tigrou aime se vanter. Il commence toujours plein de choses qu'il ne termine jamais.»

À la suite de cet avertissement, Winnie rappelle à Tigrou de cueillir les pommes en bondissant.

«N'oublie pas, Tigrou. Coco Lapin a besoin de toutes les pommes pour préparer sa compote au miel», dit Winnie.

«Ne dis pas de bêtises, lui répond Tigrou. Les tigres n'oublient jamais.»

Sur ces mots, Tigrou fait un grand bond et attrape une pomme.

Petit Gourou est ravi et Winnie, radieux.

«On va le regretter, Winnie, avertit Coco Lapin. Tigrou finit toujours par casser quelque chose.»

«Pas toujours, répond Winnie. Et puis, il faut bien que quelqu'un cueille les pommes qui sont en haut. Autrement, tu n'en auras jamais assez pour faire de la compote.»

«Ça va, ça va! crie Coco Lapin. Mais tu sais combien Tigrou est prétentieux. Souviens-toi de ce qui lui est arrivé dans l'arbre aux abeilles.»

«Qu'est-ce qui lui est arrivé?» demande Petit Gourou.

«En sautant pour attraper une pleine patte de miel, explique Coco Lapin, il s'est coincé dans l'arbre. Les abeilles, en colère, se sont mises à me courir après!»

«Ça montre seulement que les abeilles ne sont pas très intelligentes», dit Tigrou qui recommence à bondir. Petit Gourou rit.

Arrive tout à coup Grand Gourou. «Pas si fort, Petit Gourou. Tu vas réveiller Maître Hibou!»

«Je suis réveillé», dit Maître Hibou, visiblement de mauvaise humeur. Maître Hibou se perche sur la clôture, près du pommier. Il se frotte les yeux.

Tigrou fait une grande pirouette à l'envers.

«Ma foi! dit Maître Hibou. Il est vraiment remarquable, ce tigre!»

«Tous les tigres sont remarquables!» rit Tigrou.
Il bondit sur le perron de Maître Hibou et fait
sonner sa cloche même s'il sait qu'il n'est pas chez lui.
«Qu'est-ce que je te disais! crie Coco Lapin. Il s'en
fout des pommes. Tout ce qu'il veut, c'est se vanter!»

Au même moment, Porcinet monte le sentier en courant.

«Pourquoi tous ces cris?» demande Porcinet.

«C'est moi, répond Tigrou. Regardez-moi!» Il saute en l'air et fait deux culbutes par derrière.

Tout le monde accourt voir les prouesses de Tigrou.
«Extraordinaire! s'exclame Bourriquet. Si c'est le
genre de choses qui te rend heureux!»

«Je serais plus content si Tigrou cueillait ces
pommes», se lamente Coco Lapin.

Alors Tigrou bondit encore. Cette fois, il attrape
une pomme du bout des orteils.

Et il la fait tomber dans le panier de Coco Lapin.
Coco Lapin reprend espoir tout à coup. Pour une
fois, Tigrou va peut-être terminer ce qu'il a commencé.
Il va cueillir toutes les pommes comme un animal
raisonnable.

Mais Tigrou n'est pas raisonnable. Il ne se contente pas d'attraper les pommes. Il veut les attraper sans regarder, tout en faisant ses culbutes et, qui plus est, dos au pommier.

Chaque fois qu'il bondit pour attraper une pomme, Porcinet crie : «Bravo!»

Tandis que Grand Gourou fait : «Plus haut, saute plus haut, Tigrou!»

«Attention, Tigrou, dit Coco Lapin. Tu vas te faire mal. Et tu vas abîmer les pommes, aussi.»

«Regarde, Coco Lapin, dit Winnie. Il ne reste que deux pommes dans le haut de l'arbre. Si Tigrou réussit à les cueillir, ton panier sera plein.»

«Que veux-tu dire par là, «réussit» à les cueillir? demande Tigrou. Je peux même y aller les yeux fermés!»

«Oh non! Tigrou! crie Coco Lapin. Pas les yeux fermés! Prends garde, Tigrou!»

Mais Tigrou fait la sourde oreille. Il se ferme les yeux et bondit.

Quel magnifique saut! Tigrou monte dans les airs, très haut, et encore plus haut!

Il monte jusqu'à la dernière branche du pommier. Il atterrit sur une fine branche qui craque sous son poids.

Tigrou ne s'aperçoit pas que la branche est toute courbée. Il cueille les deux pommes qui restent et les lance en bas à Winnie.

Tigrou regarde les pommes qui tombent, tombent.
Il s'aperçoit alors combien il est haut perché dans
l'arbre. Puis, soudain, il sent la branche craquer sous
lui. Il s'agrippe et ne bouge pas.
«Descends, Tigrou, lance Porcinet. Le panier est
plein à présent.»

Tigrou ne peut pas descendre. Il ne peut pas lâcher la branche non plus. «Je ne savais pas que j'étais si haut!» dit-il en gémissant.

«Voilà ce qui arrive quand on ne fait pas attention à ce qu'on fait, grogne Coco Lapin. Si tu avais regardé avant de bondir, tu aurais vu combien c'était haut!»

«Prends ton temps, dit Bourriquet, qui essaie d'être utile. Descends doucement.»

«Impossible! se lamente Tigrou. Si je descends, je vais glisser. Et si je glisse, je vais tomber. Glisser et tomber, ce n'est pas ce que les tigres font de mieux!»

Tout à coup, on entend un énorme CRAC!

«Oh non! crie Tigrou. La branche se casse!»

«Descends en bondissant, Tigrou! crie Winnie. De la même façon que tu es monté.»

«Je ne peux pas! crie Tigrou. Quand je regarde en bas, j'ai le vertige!»

«Alors, ferme les yeux!» crie Winnie.

La branche craque de nouveau.

«Vite!» crie Winnie.

Tigrou se ferme les yeux. Il compte : «Un, deux et trois.» Puis, il saute de la branche.

«Je ne veux pas voir ça!» gémit Coco Lapin.

Tigrou descend, descend, descend. Il s'écrase dans
le panier de Coco Lapin en faisant un gros PLOUF!
Mais, au moins, il ne se blesse pas. Grand Gourou et
Porcinet applaudissent.

«Hourra! s'écrie Winnie. Je savais qu'il était capable!»

Coco Lapin ouvre les yeux. Il aperçoit Tigrou dans le panier, couvert de morceaux de pommes.

«Mes pommes, crie-t-il. Tu as écrasé toutes mes pommes. Et il n'y en a plus dans la Forêt des Cent Acres. Mes petits cousins vont bientôt arriver et je n'aurai pas de compote de pommes au miel à leur offrir!»

«Ça ne fait rien, Coco Lapin, dit Grand Gourou en souriant. Tigrou a déjà fait la moitié du travail pour toi.»

«La moitié du travail pour moi? répète Coco Lapin étonné. Il a écrasé toutes mes pommes, voilà ce qu'il a fait!»

«Comme tu dis, ajoute Grand Gourou. Si tu avais à faire toi-même de la compote de pommes, c'est ce que tu ferais, pas vrai?»

«Ta compote sera délicieuse, dit Winnie. J'ai des réserves de miel à la maison. Tu en veux?»

Coco Lapin cligne des yeux et se met à sourire. «Bien, merci beaucoup, Winnie l'ourson. Merci, Grand Gourou. Et merci à toi, Tigrou.»

Coco Lapin apporte les pommes chez lui et prépare sa compote au miel.

Winnie lui donne un coup de main. Il lui apporte du miel et goûte à la compote pour savoir si elle est juste à point.

Quand les petits cousins de Coco Lapin arrivent, tout est prêt pour eux. Et pour ses amis aussi. Sans eux, il n'aurait pas pu faire de compote.

Chacun avale deux platées de compote. Certains en demandent une troisième tant ils la trouvent délicieuse.

Tout le monde applaudit Coco Lapin pour sa compote de pommes. Et tout le monde applaudit Tigrou qui a cueilli les pommes. Tigrou fait un grand bond pour montrer aux petits cousins de Coco Lapin comment il s'y est pris. «Mais à partir de maintenant, dit Tigrou en faisant un gros clin d'oeil à Coco Lapin, je garderai les yeux ouverts en sautant!»

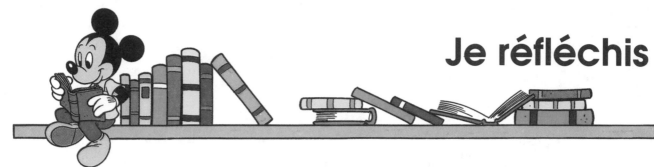

Je réfléchis

Raconte un peu

Lis ces questions et raconte l'histoire dans tes propres mots.

Près de quel arbre l'histoire se passe-t-elle?

Pourquoi Coco Lapin avait-il besoin des pommes de l'arbre?

Qui était là?

Pourquoi Tigrou sautait-il?

Qu'est-ce qui retient Tigrou?

Qu'est-ce qui ne va pas dans cette image?

Relève quatre choses qui n'appartiennent pas à l'histoire de *Tigrou et le Pommier*.

Qu'arrive-t-il?

Regarde les images ci-dessous et essaie d'imaginer ce qui arrive.

Un jour, [ours] rencontre Coco Lapin qui s'en va au pommier cueillir des [pommes]. Winnie décide d'accompagner [lapin] et ensemble, ils cueillent toutes les pommes qu'ils peuvent du [arbre]. Mais ils n'arrivent pas à atteindre les [pommes] très haut dans l'arbre. Arrive [Tigrou] qui leur offre de grimper dans le [arbre] pour cueillir les [pommes]. Tigrou saute tout autour pour aller chercher les [pommes], même les plus hautes. Mais [Tigrou] reste coincé dans l'arbre et redescend en tombant dans le [panier] de Coco! [lapin] prépare de la compote de pommes au miel avec toutes les [pommes] écrasées. Tous la trouvent délicieuse.

Qui sait faire la même chose?

1. Qui sait voler?

2. Qui sait rire?

3. Qui sait courir?

4. Qui sait faire des bonds?